제37화 「암중 항로(暗中航路)」

돌아왔다!!

CONTENTS

MOBILE SUIT
GUNDAM
0083
REBELLION

나츠모토 마사토(夏元雅人)

원작 야다테 하지메(矢立肇)

토미노 요시유키(富野由悠季)

협력 선라이즈

콘셉트어드바이저 이마니시 타카시(今西隆志)

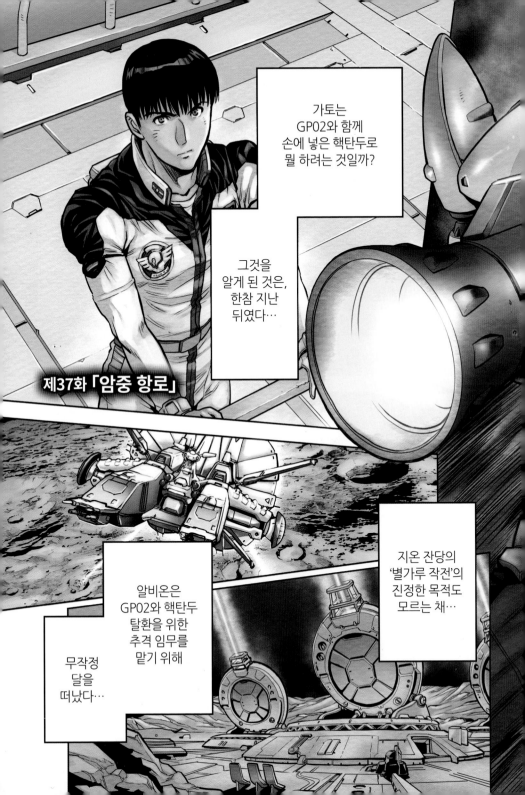

뭘 조사하겠다는 거야?

4호기는… 붉은 MA의 공격으로 대파됐잖아

4호기를 조사하러 '라비앙 로즈'에 갈 거야!!

정말이라니… 4호기가 대파된 게 아니라는 거야?!

대파… 정말 그렇다면

더더욱 개발 공장에 가야 뭐든 알 수 있잖아

글쎄?

내 눈으로 잔해를 확인한 것도 아니고

이걸로 4호기 개발 계획을 완전히 종결시키겠다는 작의적인 의도가 느껴져서 그래

TANYA CHERMO

지온에 병기를
제공한다는
의혹이 있어

?

그건···

지온
공화국과의
통상 협정은
연방도 인가한
일이야!!

AE에는
구 지온 공국
기술자도
잔뜩 있고

너한테
할 얘기는
아니지만

그
오셜리번이라는
상무···
꽤 지저분한
장사를 하고
있는 것 같아

그게
아냐!!

지온 잔당
델라즈 플리트랑
거래한다는
얘기라고

8

그럼, 난 갈게

또 만나!!

미안, 지금 얘기는 잊어줘

그냥 억측 이니까

아…

설마…?!

오설리번 상무가…?

델라즈 플리트와…

서류상으로
이 기체의
존재 자체를
지워버릴 필요가
있습니다

델라즈 플리트와
대놓고 거래할 수가
없으니까

흐~응
사업이라는 건
참 귀찮구나

그렇죠

이 MS를
시마 님께
전하는 게

내
임무니까

어쨌거나
개수 작업은
빨리 해줘

이대로
드릴 수는
없으니…

알고
있습니다!!
하지만…

외장을
전부 바꿀
겁니다

아무도 안에
'건담'이
들었다는 걸
알아보지
못할 정도로…

결국 또 미치게 넓은 이 암초 주역으로 돌아왔네

어쩔 수 없습니다, 베이트 중위님

가토의 흔적을 쫓은 결과니까

내 말은 사람이 부족하다는 거야!!

하긴…

반대로 생각하면 여기에 놈들의 기지가 있다는 뜻이겠죠

이러고
있어봤자…

가토는
못 찾을 것
같습니다

MS 소대
보충…
말입니까?

어디 소속
부대입니까?

보충이 아니라
일시적
임무 협력이라는
형태다

루나2 방면군
제2 수비대다

그때까지
협력…
그런 뜻이다

대규모
관함식이
열린다

사흘 뒤에
콘페이토
주역에서

그런데,
일시적
협력이라뇨?

루나2
방면군이라면,
와이어트
대장…

기왕이면
1개 사단 정도는
보내줬으면
싶습니다만

적어도
잔당 토벌에는
협력했다고 하기
위해서겠지

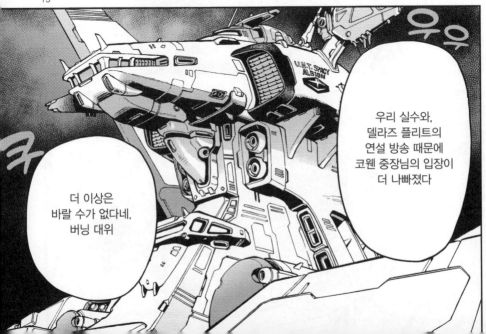

우리 실수와,
델라즈 플리트의
연설 방송 때문에
코웬 중장님의 입장이
더 나빠졌다

더 이상은
바랄 수가 없다네,
버닝 대위

어려운
상황이군

원래 예정에는
신예함으로서
참가할
예정이었지만…

저희도
관함식에
참가하나요?

참모부는
이런 상황이기에
억지로라도
강행해서

연방의 힘을
보여주고
싶은 거야

이런 때 잘도
관함식 같은 걸
하네요

16

몬시아
소대가
급행 중!!

EB-2에
반응!!

함장님!!

아아,
역시 내 집이
좋아

그럭저럭

이 동력로
삐걱거리는
소리가
그리웠어

달에
갔던 일은
잘되셨습니까?

그러게요
이 릴리
마를렌도

이젠
많이
낡았으니까

……

그래서?

만났
습니까?

뭐?

그라나다
※MAU
게일 부대의
유일한
생존자

게일 헌트
중령 말입니다

연락
하셨잖습니까

우리
부대에
참가하라고…

※해병 상륙 전투부대

그 녀석…

아…

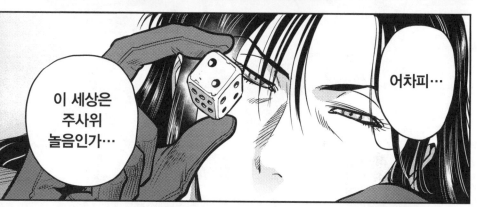

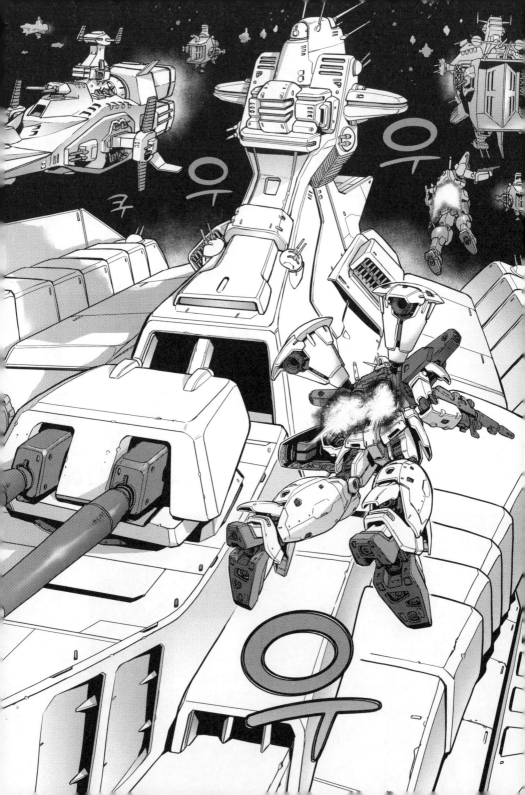

그
융통성 없는
함인가…

흥

딸

쿠우

으으

쳇

느긋하게
함대를
끌고 가는
주제에

우리한테
줄 전력은
겨우 이건가

슝

28

잠시나마
알비온에서
신세
지겠습니다!!

음!!

파견 나온
부대가 도움이
될까요?

우리 일만
편해지면
상관없어

이 세상은…

주사위 놀음…

어이!

네 차례야!!

응?

클로드 커츠 소위…

입니다

아…

저는… 그러니까…

MOBILE SUIT
GUNDAM
0083
REBELLION

MOBILE SUIT
GUNDAM
0083
REBELLION

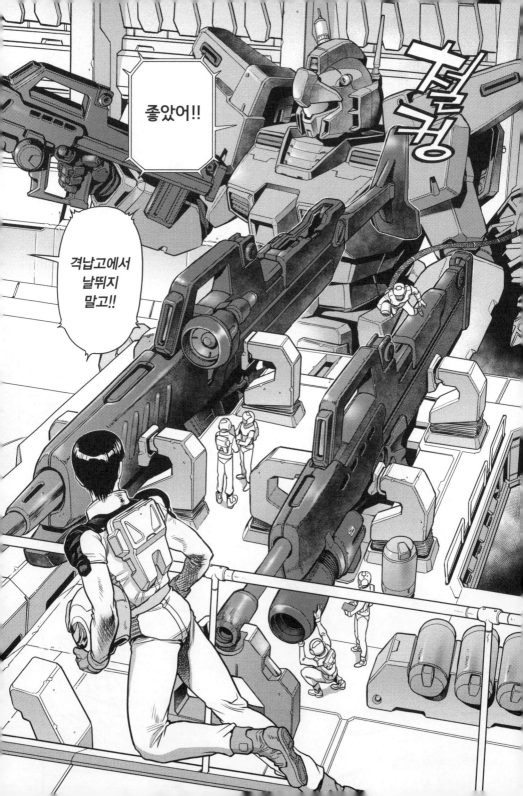

버닝 대위님!!

잠깐 말씀드릴 게…

괜찮으십니까?

?

저희도.

저는 다음 출격까지 대기하겠습니다

4시간 뒤였죠

제 방으로 가겠습니다

푹 쉬어라, 우라키!!

색적 임무가
계속되고
있으니까

많이 피곤해
보이네요

우라키
소위…

응?

그 증원부대
애깁니다!!

색적 범위가
줄어서
다행이지

그래도
증원부대가
들어온 덕분에

41

반입 MS가
6대나 되면
격납고도
좁아지니까

그럴 수도
있지

저쪽도
엔지니어들
데리고 왔고

대위님은
그 MS,
어떻게
생각하세요?

......

분명히
커스텀을
거듭해서

저도
처음 봤을
때는

원형을
알 수도 없는
기체는
넘쳐나요!!

?

짐
스트라이커를
커스텀 한 줄
알았거든요

짐을
커스텀 했다고
들었는데?

저 MS는 짐 따위가 아닙니다!!

이건 엔지니어로서의 의견인데

저희 킬게레스 부대가

증원이기는 해도 지휘계통은 독립부대로 취급해 주십시오

그렇습니다.
시냅스
대령님

레스터
소령

그렇게
말하고
싶은 건가?

색적 임무는
어디까지나
협력이라고

양해해
주십시오

그렇게
명령을
받았으니

저는
그린 와이어트
대장님으로부터
직접

45

끌고 왔으면
되지 않았나?

그렇다면
사라미스라도
한 척

루나2 방면군 제2수비함대는 콘페이토에서의 관함식 준비에 바빠서

단 한 척도 이쪽으로 돌릴 여유가 없습니다

아쉽지만 이런 협력이 한계입니다

하지만 와이어트 대장님이 여기…

알비온 부대의 힘든 상황을 신경 쓰고 있는 건 분명합니다

월면 폰 브라운 시

케리 씨가
그 빨간 MA의
파일럿이었다니…

끼익

끼익

저기 혹시…

라트라… 씨?

48

니나 퍼플턴 입니다

전에… 여기 왔었죠?

당신 기억나요…

케리는 이제 여기 없어요

그래서?

무슨 일이죠?

2년쯤 전에 이 집에서

몇 번 봤었죠

돌아갔어…

전장으로…

결국…

그런 것 같네요

……

남자는 정말 바보 같아

제멋대로에… 아무것도 모르고…

끽…

전부 다
버리고…

전장에
뭐가
있다는
거야!!

파일럿이
대체
뭐라고!!

바보야!!
케리!!

라트라…

이 아이만은
날…
배신하지
않으니까…

하지만…
이젠
괜찮아

진짜
그 사람은
여기 있으니까

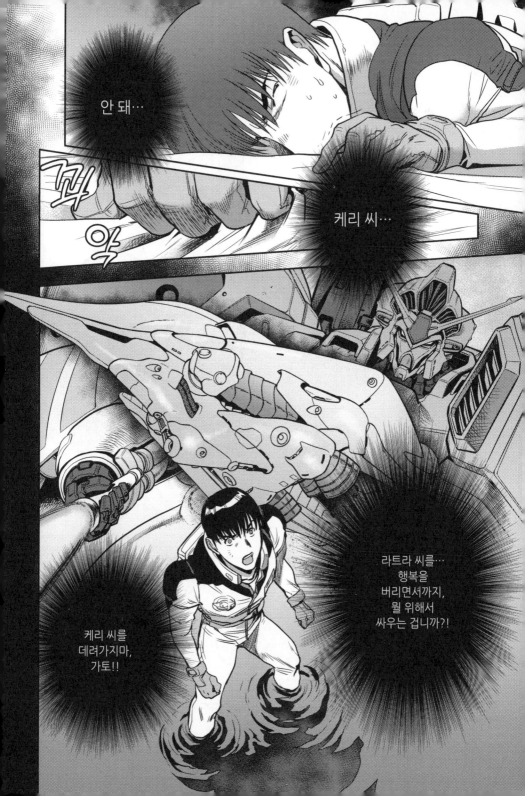

듣고 싶어…

당신한테, 직접…

출근 하자마자 무슨 일인가

부탁?

휴가라도 필요한가?

상무님께 부탁이 있어서 왔습니다

탄

직접 가고
싶습니다

델라즈 플리트
부대가
있는 곳에

농담 하는 건가?
자네답지 않군

읔 찔...

상무님이
그들과
줄이 있다는 걸

알고
있습니다

......

......

재미있는 농담이군

킬게레스 부대 알파 팀!! 색적 임무 출격하라!!

60

빠빡

해치는 여기서 여는 거라고

아직도 몰라!!

익숙치 않은
기체라서

계속
감시할 테니까
조심해서 행동해!!

커츠
소위

넌 웬만하면
말하지 마

지온
사투리가
너무 심해

버닝 대위님!!
알아냈어요,
그 기체!!

뭐?

RX-81…?

이런 건 모르는데

이걸 보세요!!

역시 짐 따위가 아니었어요

RX-81 지라인 시리즈

일 년 전쟁 말기에 개발된 실험기입니다

저도 소문만 들었습니다

풀 커스텀 했으니까요!!

모양이 좀 다른 것 같은데?

일 년 전쟁 때
실험기를
이제 와서
운용한다고?

예비 부품을 보면
최신예 기체로
튜닝했다는 걸
알 수 있어요!!

그렇다고
짐이랑 뭐가
다른 거지?

GP01
우라키 소위,
색적 임무
종료!!

귀함
합니다

천지차이
라고요!!

저
기체는…

위험이
따르는
교섭이니
신중한 거지

그쪽이 교섭을
제안해놓고
나타나지도
않다니,
무슨 짓거리야?

......

잠깐!!

멋대로
행동하지
마라!!

장교하고만
교섭한다는데,
대답은?

쳇!!
잔당 주제에…
알았다고 전해

번
쩍

슈
우
웅

72

손님이
테이블에
앉았다

키스!!
출격 대기야

키스?

아,
대위님.

키스 소위가
안에서 해치를
열어주지
않아서…

키스 자식,
뭐 하는
거야?

73

작업은 진행해 두겠습니다

그냥 자게 두죠

쿨!

음냐..

쿠우

쿨ㅡ

쿨ㅡ

......

우라키 넌 봤냐? 증원부대 MS

일 년 전쟁 때 건담을 양산하려고 개발된

지라인이라는 실험기라던데

덜컹

E.F.S.F

자!

지금 상황이 정리되면 찬찬히 보고 싶습니다

지 라인...

대기도 임무다 푹 쉬어둬

대위님!! 질문 좀 드려도 되겠습니까?

아

응?

너도 성장했구나 예전 같았으면…

그건 됐고

파일럿에게 있어 전장은…

버닝 대위님은 일 년 전쟁을 경험하셨죠

돌아가고 싶은 곳입니까?

……

네가 누굴 보고 그런 생각을 했는지 모르겠지만

파일럿 중에는 전장에 후회를 남기는 자도 있다

그럴 경우엔 그 이상의 목적을 가지면 된다!!

나는 부하들한테

그렇게 가르쳤다

죽지 말자, 살아남자, 그것만을 목적으로 싸우자!!

물론 우라키 너한테도

싸움…

살아남는…

과장님!!

니나가 갑자기 출장이라니, 대체 뭐죠?!

자재 운반한다고 달에서 나가는 이유를 모르겠어요!!

본인이 원했다나봐 오설리번 상무님이 허가했고

나도 무슨 일인지…

테러가 그렇게 일어나는데, 걱정도 안 되세요?!

어라? 그리고 보니 폴라는?

아…

그야, 뭐…

그래서 폴라가… 말이지

78

정원 1명 선장!!
추가,
잘 부탁해요!!

과장님
허가도
받았어

그런 문제가
아니라고!!

괜찮아
예정대로
진행하게

상무님!!
어떻게 하죠?

델라즈 플리트에
가고 싶어 하는

이유가
어떤 것이건
간에

문제의 싹은
일찌감치
밟아버려야지

암초주역 내부
델라즈 플리트 기지 '가시나무 정원'

그때는
신세 많이
졌다!!

솔로몬
이후로
처음
이군요

레즈너 대위!!
카리우스
중사입니다!!

재기할 때가
온 것이다!!

302 초계중대와의
혼성 편성으로
함께 싸운 전장을
잊지 못하고

여기로
돌아왔다

우리는
이곳에
서 있다

델라즈 각하의
'별가루
작전'에 의해

준비가 다 갖춰진 뒤에 자네를 부를 생각이었다

준비라니?

그런 형태로 자네를 맞이하러 가게 됐지

하지만 시마가 MA만 회수하려고 달에 갔다는 말을 듣고

발바로 말이다

그라나다에서 폰 브라운의 고물 처리장으로 은폐하고

자네가 기체를 현지에서 개수하게 됐었는데

아 바오아 쿠 철수 시점에서는 아직 개발 중이었던 그 기체를 연방으로부터 숨기기 위해

원래 설계대로 만들어진 기체와 함께 복귀하길 바랐다

우라키…

넌 지금 뭘 하고 있나?!

애앵

애애앵

애앵

역시
빠르구만

우라키냐!!

상황은
어떻습니까?!

몬시아
중위님!!

헹

산소결핍으로 죽는 것보단 낫겠지!!

끄아앙!

어이구, 미안해라!! 갈빗대가 나갔나?

그래!! 포로다

몬시아 중위님

그 지온 병은 포로로 삼을 겁니까?

이것저것 불게 만들어야지

이 녀석한테 델라즈 플리트에 대해

......

즉,
킬게레스
부대의 보고에
의하면

45시간 뒤에
거행되는
관함식에 대한
테러가
발생할 것이고

지온의 내통자는
그 정보를
거래하고 싶다고?

이 공역의
방위망은
완벽합니다!!

내통자의
정보 따위는
무시해도 좋다고
봅니다

게다가 관함식에
참가할 함정이
거의 다 집결한
이 상황이라면

교섭 상대가,
그라나다
해병이었던
시마 가라하우
중령이었지

B급 전범
용의자입니다!!

정보의 대가로
부대를 연방군에
편입시켜달라고…

그리고
신사라면

레이디의 제안을
함부로 거절해선
안 되지

예?!

거둬들일
가치가…
있군

그럼,
순찰이라는
명목으로
기함 버밍엄을
움직일까요?

그래

달에서 주운 그 사내…

바로 도움이 됐군

새로 지어준 이름이 뭐라고 했지?

예? 아, '커츠' 말씀 이십니까

녀석도 해병 출신이죠

그래, 해병이다

지온 해병이 전시에 저질렀던 대량 살육을 백일하에 드러내기 위한

이 그린 와이어트의 이름으로 밝히겠다

카드… 말이십니까?

좋은 카드가 생겼다고 보네만?

관함식이 끝나는 대로, 나는 스페이스 노이드에게 지온 공국의 만행을 대대적으로 선전하고

그리고 아직까지 지온의 사상에 빠져 있는 자들을 소탕한다!!

스페이스 노이드 놈들도 알게 되겠지!! 지온이 '악'이고, 우리가…

지구 연방이 그들의 '절대적 수호신'이 었다는 것을!!

제군!!

이것이 정치적 '정복'이라는 것이라네

시마 가라하우는

만만챃은 여자라고…

빨리 걸어!!

인마!!

그만 두세요 몬시아 중위님!! 다쳤잖습니까!!

조약 위반이다 이거냐!!

그런 거 다 따질 때가 아니라는 건…

너도 알잖아!!

가토…

'솔로몬의 악몽'을 부활시킬 것이다…

가토 소령님이…

포로는 델라즈 플리트의 정규군이 아니라

그 연설의 영향인가…

앞으로 그런 녀석들이 늘어나겠군

놈들에게 합류하려고 출격한 잔당이었습니다

그렇게 되면 저희 킬게레스 부대의 증원 임무도 없어지게 됩니다만

아무래도 적 본거지 탐색할 때가 아닌 것 같군요

뚜벅

뚜벅

그럼, 떠날 준비를 해 두겠습니다

그렇겠군, 레스터 소령

……

저는 모르겠습니다…

버닝 대위

적의 '별가루 작전' 이란, 역시 콘페이토의 관함식에 대한 공격일까?

슈웅

하지만 적이 콘페이토에 집결하고 있는 것을 보면

델라즈 플리트의 목적이

관함식 방해라고 생각해도 될 것 같습니다

설마 이렇게 큰 일이 될 줄이야…

오스트 레일리아에서 2호기와 핵을 강탈당한 것이

즉, 우리가 쫓고 있는 2호기가 거기에 나타난다고…

예!!

이 일에 대한 모든 책임은 그 뒤에 지겠다!!

무슨 일이 있어도 되찾는다!!

함장님…

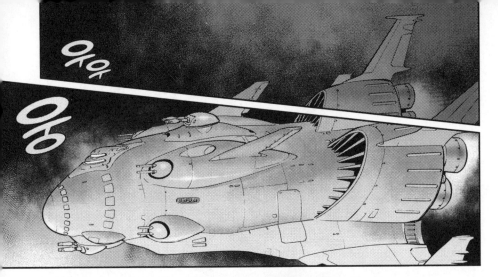

가스 주입량,
1000을
넘었습니다!!

쳇!!!
또 그 꿈이…

이래서
자기가 싫어

뚜벅
뚜벅
끈질긴 꿈이다…
이 릴리 마를렌에서 4년…
꿈에 시달린 4년인가…
우우웅
우우웅
우우웅
어라, 시마 님!!
어쩐 일이십니까?
우우웅
그냥 잠 깰 겸 산책이다, 영감!!
기관 상태는 어떤가?
그야 뭐!!

그림 솜씨 하고는

그래!! 이렇게 생겼습니다!!

시마 님, 함교로!!

곧 적 초계 범위에 들어갑니다!!

콧셀, 상황 보고!!

눈 크게 뜨고 똑바로 봐라!!

양현 경계배치!!

이렇게 빨리
배신할 줄은,
천하의 지장
델라즈도 몰랐겠죠

연방과의
교섭이 준비
됐습니다

해병 암호로
한 번 떠봤는데,
제대로
대응했습니다

교섭 제의
했을 때
반응이
신경 쓰여서

지온
해병이었던
녀석이
있습니다

그리고 역시
와이어트
놈 쪽에

왠지 마음에
걸려…

우리 말고도
배신자가
있다는 건가…

뭐,
어때!!

그 녀석이
누군지도
곧 알게 되겠지

건담 2호기와
핵탄두
강탈 건으로
이쪽 정세가
나빠지고 있다

최대한
노력하겠지만,
함정 증원은
힘들 걸세

알비온은
물자 보급이
끝나는 대로

콘페이토
방위 임무를
맡도록

2호기와
핵탄두는,
파괴해라!!

특히
핵탄두를
쓰게 해서는
안 되고!!

이상…!!

알비온
부대의
분투를
기대한다…

이게
마지막 보급이
될지도
모른다던데

관함식에도
참가 못 하고,
사냥개
취급인가

본부에서
코웬 중장님
입장을 생각해보면
어쩔 수 없죠

이런 것까지…

아, 진짜!!

안쪽에 넣어둬!!

뭐야 이거…

어떻게 된 거야, 니나!!

지온 군함
투성이잖아!!

……

니나!!

설명 좀
해봐…

이거…
델라즈
플리트
함대야?!

그래서
오설리번
상무한테
부탁해서

이 수송정에
타게 됐고…

설마…

나도
최근에야
알았지만…

애너하임은
예전부터
이쪽에 무기를
팔고 있었어

직접 만나서
확인하고 싶은
일이 있어

그건…

네가 지온에
무슨 볼일이
있는 건데?!

왜?!

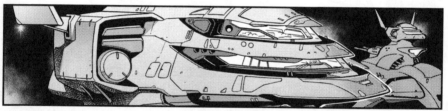

아,
무기와 탄약
보급입니다

애너하임에서
샀죠

응?

저건
민간선인가?

무슨
일이지?

애너
하임…

흥

무기 상인에겐
적도 아군도
없다…

그런
것인가

직접
만나다니,
누굴?!

쾅

웃기지 마!!
널 놔두고
어떻게 나 혼자
가라는 거야

너하고는
상관없는
일이야!!

이대로
돌아가!
폴라

제41화 「엇갈리는 마음」

밀항자?

애너하임 직원이잖아!!

넷

작업 중인 화물 반입로로 침입했고

함교로 향하는 것을 붙잡았습니다

무기는 휴대하지 않았습니다

그만 좀 만져!! 엉큼하게

니나 퍼플턴

애너하임의 시스템 엔지니어입니다

엉큼해 엉큼해

승함한 목적은 직접 만나서… 얘기하고 싶을 뿐입니다

초치지 마라, 케리!!

괜찮겠나, 가토?

만날 생각 없다!!

함대에서 쫓아내!!

그런데, 소령님!!

건담의 엔지니어라면 저희의 전력도 됩니다

저희가 이 건담을 정비는 할 수 있어도

구조를 전부 이해한 건 아닙니다

138

드디어 버닝 대위님한테…

……

이겼다…

신경 꺼 훈련이니까 긍정적으로 생각하자고

키스!! 넌 몇 번 격추 당했어?

예

잘했어, 코우!!

응? 아무것도 아니다

!?

왜 그러십니까, 대위님?

Fb 덕분입니다
제 실력으로는…

돌아가면
맥주 한잔
사주마

우라키!!
많이 컸구나

결국은
제대로 다루게
됐다는 뜻이지?

……

자!!
상황
종료

라이플을
실전 모드로
전환하고

다음 선행
포인트에서
초계 임무를
수행한다!!

예!!

슬슬 암초 주역에서 나가겠네요

한 순간도 긴장을 풀지 마라

지온 잔당이 집결하고 있다!!

이 앞의 콘페이토 주변 주역에는

예!!

우리의 목적은 2호기 탈환이다 놈은… 반드시 콘페이토에 나타난다!!

결국 적의 본거지는 찾아내지 못했네요

……

이번에야말로 가토를…

게일 헌트!!

시마 가라하우

아 바오아 쿠 방위전 때 마지막으로 봤지

웃기는군

커츠? …훗

지금은 클로드 커츠라는 이름이다

그 이름은 버렸다

출격 전의 그때…

가장 보기 싫은 낯짝이었다!!

너는…

......

그딴 건…
오래 전에
버렸다!!

내가 준
'주사위'는
아직 가지고
있나?

하지만,
거래를 시작하기 전에
하나만 물어보자!!

옛날 얘기나
하러 온 게
아냐!!

철
컹

그라나다
MAU의
의리로

데라즈 플리트에
들어오라고
제안했는데,
이게 대답인가?!

납득할
수가
없군!!

댁이 군 당국에 자수했다는 뉴스를 봤지

덕분에 폰 브라운의 싸구려 술집에서 혼자 멍하니 앉아서

계기는, 델라즈의 연설을 보고 혐오감이 들어서!!

게일 헌트는 그때 죽었다…

우리는 닮은꼴이니까!!

해병으로서 수행했던, 학살행위의 죄를 뒤집어쓴…

너라면 알 텐데!!

그만 좀 떠들어!!
거래는
어쩔 거지?!

그럼
그 계획서를
확인하겠다!!

거래 내용은…
관함식 습격의
상세한
계획서다

뭐든
절차가 있는
법이니까

너무
재촉하지
말라고

여긴
없다!!

이쪽의 조건인
함대 전체
연방군 편입을
약속하면

저기에
준비해둔
계획서를
주겠다

계속 할 건가?

얘기가 잘된 것 같군

티 파티… 다즐링을 준비해주게

잔당이라 해도 해병 출신입니다!! 조심하십시오

무슨…

레이디는
원래 선물에
약한 법이야!!

버닝 대위님!!
레이더에
반응입니다!!

콜로니
잔해 주변에
함을 확인!!

아…
아뇨!!

그 근처에…
이건
무사이급의
반응입니다!!

놀래키지
마라
키스!!

사열함
버밍엄의
반응이다!!
순찰 중인 것
같다

자… 잠깐!!
상황이
달라졌다
훼방꾼이다

버밍엄이
반전한 것
같은데,
거래가
끝장이라는
건가?!

훼방꾼은
없애면
그만이지

어쩔 거지?

그쪽
사정이다!!

흥

내가 멋대로
따라온 거라고!!

미안해,
폴라…

카리우스
중사입니다!!

펠 균트에서
가토 소령님의
전령으로 왔습니다!!

이걸…

소령님과
연결돼
있습니다

……

소령님께
이야기
들었습니다

당신이
니나
양이죠

가토…

제42화 「좁혀지지 않는 거리」

......

넌…
어리
석군…

시마 님!!
공격당하고
있습니다!!

거래는
어떻게
됐습니까?!

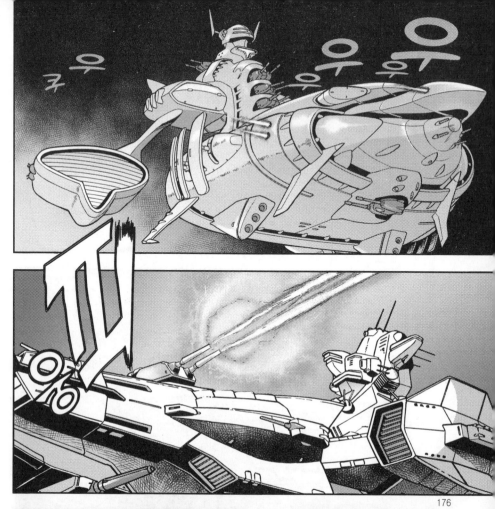

그만둬,
커츠!!

네놈이 원하는
보수를
받고 싶으면
명령에 따라!!

임무는
중지다

그냥,
이 녀석이
공을 세우려다
정신이 나갔을
뿐입니다

버닝 대위님
조용히
넘어갑시다

하마터면
부하를
잃을 뻔 했어

항의하는
보고를
올리겠다

쯰

항의 정도로
되겠습니까?!
아무리 봐도
죽이려고
했는데!!

슝

헉

헉

헉

헉

저놈의
알비온…

귀찮은 일의
원흉이군!!

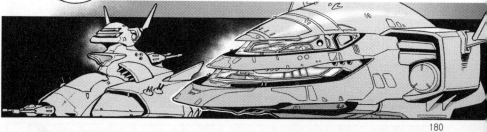

둘이서
지내는
시간이

영원할
거라고
믿었어…

가토

당신이
사라진
그날까지

이제 만족했나?
니나 퍼플턴

여기에
네가 있을 곳은
없다

나는…
아니, 우리는
'대의를 위해
기꺼이 죽을'
수 있다

그것을
이해하지
못하는 자는
필요 없다!!

그런
건가…

......

함장님!!
저희 부대는
곧 솔로몬으로
출격합니다

귀함에서
두 사람을
맡아주시겠
습니까?

민간인이니
전선에서
떨어진 곳에
내려주십시오

뭐야,
너!!

떠

억

대의 없이
올바른 세상은
없다

죽음은
그 초석일
뿐이다

죽으면
어쩌자는
거야!!

오만한
생각
이라고!!

그런 건…
당신의 혼자
생각일 뿐이야!!

그렇다면…

당신의
결심도
조금이나마

내가
죽을 각오로
여기 왔다는 걸
알면…

흔들릴까?

네게…

그 결의가
있다면…

RX-81FC
G LINE Full Custom
Mechanic Design Works

MOBILE SUIT
GUNDAM
0083
REBELLION

RX-81FC G LINE
Full Custom

지라인 풀 커스텀

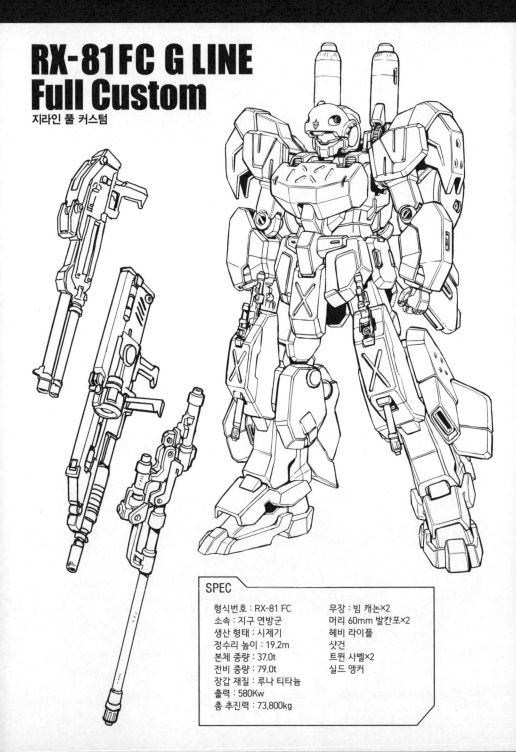

SPEC

형식번호 : RX-81 FC
소속 : 지구 연방군
생산 형태 : 시제기
정수리 높이 : 19.2m
본체 중량 : 37.0t
전비 중량 : 79.0t
장갑 재질 : 루나 티타늄
출력 : 580Kw
총 추진력 : 73,800kg

무장 : 빔 캐논×2
머리 60mm 발칸포×2
헤비 라이플
샷건
트윈 사벨×2
실드 앵커

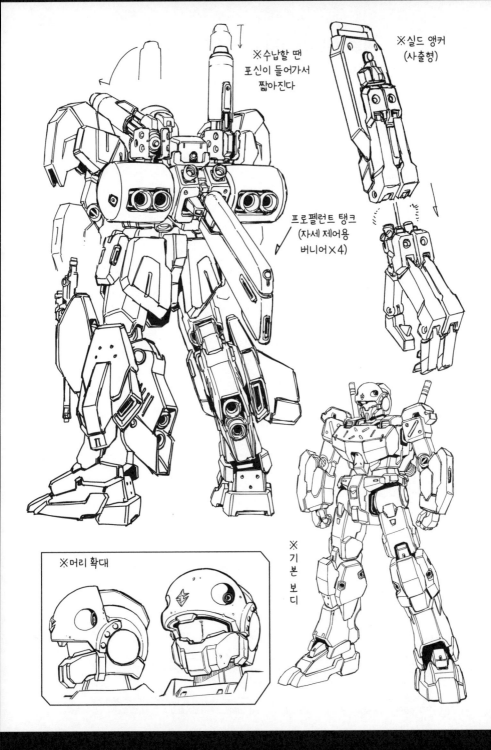

※수납할 땐
포신이 들어가서
짧아진다

※실드 앵커
(사출형)

프로펠런트 탱크
(자세 제어용
버니어×4)

※머리 확대

※기본 보디

기동전사 건담 0083 REBELLION ⑧

2018년 6월 15일 초판 1쇄 발행

만화 나츠모토 마사토
원작 토미노 요시유키 · 야타테 하지메
협력 선라이즈

펴낸이 원종우
펴낸곳 길찾기
주소 (13814) 경기도 과천시 뒷골1로 6, 3층
전화 02 3667 2653~4   팩스 02 3667 2655   메일 edit01@imageframe.kr   웹 http://imageframe.kr

ISBN 979-11-6085-375-9 07830 (8권)
가격 8,000원

MOBILE SUIT GUNDAM 0083 REBELLION 8